LES AVIONS

Dusty Crophopper rêve de participer au grand rallye du Tour du Ciel. Alors qu'il se prépare pour la course de qualification, il rencontre le grand Ripslinger. Vois-tu ces objets à l'effigie des concurrents?

Un jouet Ripslinger

Une boîte à goûter la Tornade verte

Une décalcomanie la Tornade verte

Une casquette Ripslinger

La bannière de l'équipe RPX

Une tasse Ripslinger

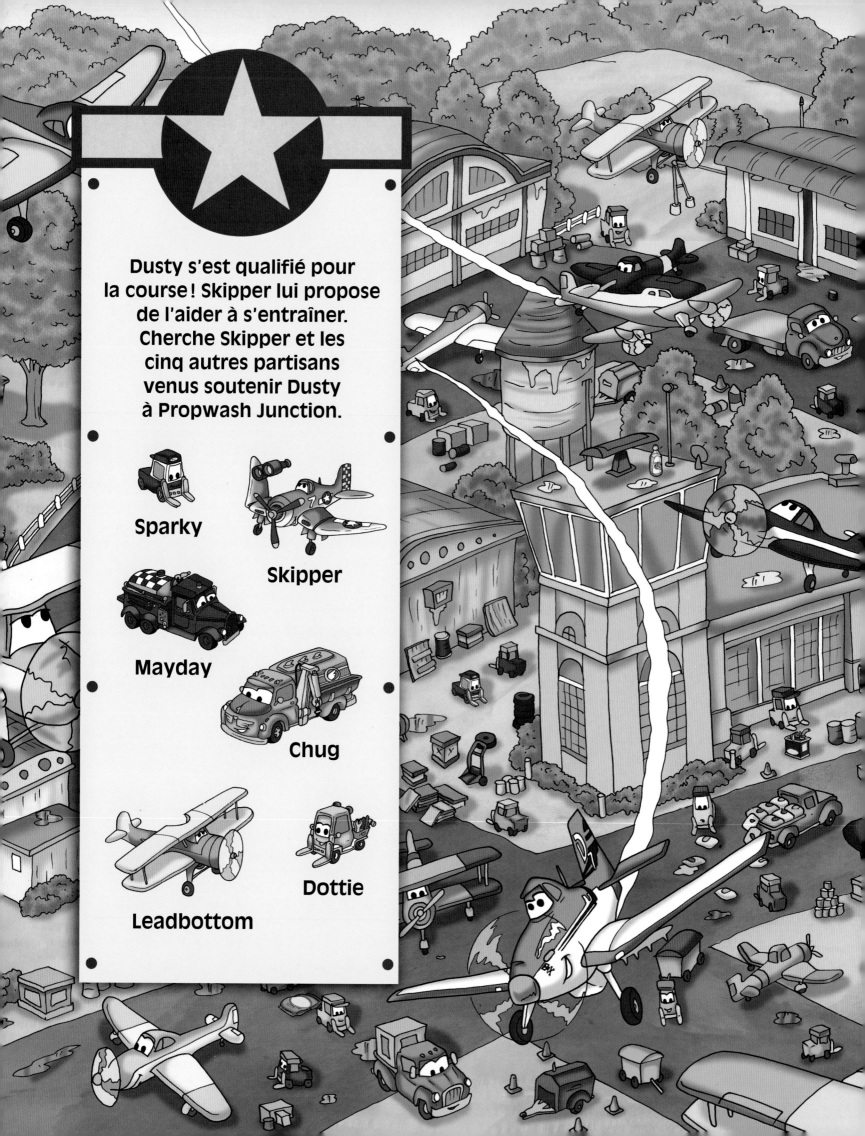

Dusty s'est qualifié pour la course ! Skipper lui propose de l'aider à s'entraîner. Cherche Skipper et les cinq autres partisans venus soutenir Dusty à Propwash Junction.

Sparky

Skipper

Mayday

Chug

Leadbottom

Dottie

Franz est l'une des
six voitures capables
de se transformer en avion !
Trouve Franz et les cinq
autres voitures allemandes
dans le hall de ravitaillement.

En volant au-dessus du Garage Mahal, Dusty se rend compte qu'il est loin de chez lui. Essaie de trouver ce qui lui donne le mal du pays.

Le logo étoilé de Skipper

Un tracteur

Un touriste américain

Un bidon d'éthanol

KERNEL Premium ÉTHANOL

Le logo de Vitaminamax

Vita MINAMAX

Le sosie de Chug

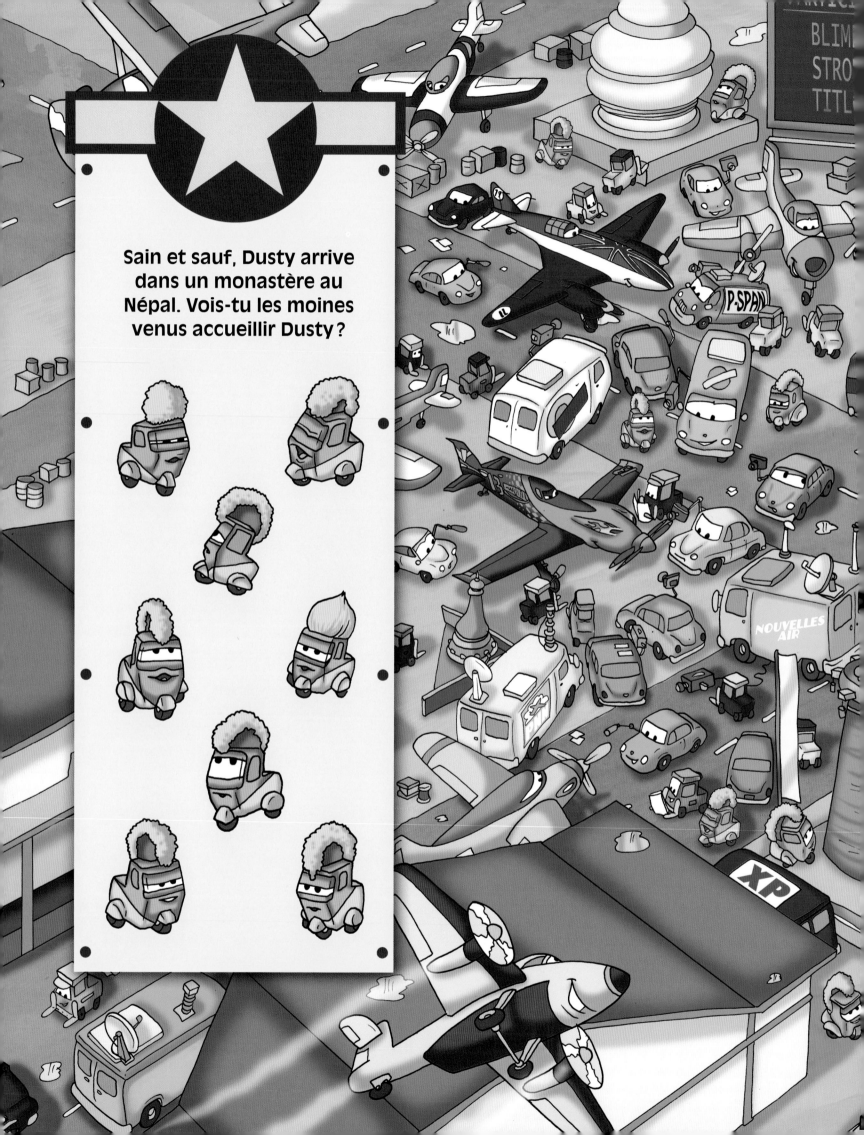

Sain et sauf, Dusty arrive dans un monastère au Népal. Vois-tu les moines venus accueillir Dusty ?

Ned et Zed sont des jumeaux connus sous le nom de Jumeaux Turbos. Retourne à la course de qualification et trouve-les. Trouve aussi ces autres paires de jumeaux.

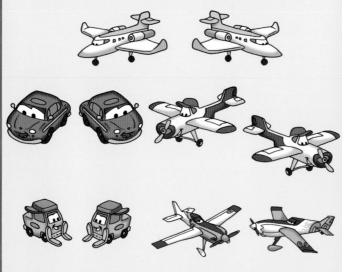

Propwash Junction est un super endroit pour vivre et travailler. Retourne en ville et trouve ces objets fabriqués sur place.

Un bidon d'éthanol

Une bouteille d'huile de maïs

Un sac d'amidon de maïs

Un pneu

Une bougie d'allumage

Du liquide lave-glace

Après une course difficile, Dusty et El Chupacabra vont dans un hall de ravitaillement allemand. Trouve les drapeaux des pays qui participent au rallye du tour du ciel.

Islande

Allemagne

Chine

Inde

Mexique

États-Unis

En Inde, Dusty se laisse guider par Ishani. Dusty sent qu'elle devient son amie! Autour du Garage Mahal, trouve les lettres du nom « Ishani » sur les avions.

Dusty devient vite la vedette montante du monde de la course. Toutes les grandes chaînes de nouvelles parlent de lui ! Essaie de trouver les logos de ces grandes chaînes.

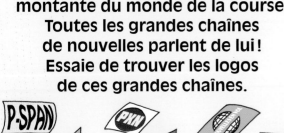

Les Jolly Wrenches ont un mur des célébrités où figurent les missions de tous les avions. Va le voir et trouve ces plaques et ces médailles de missions passées qui ont été dispersées sur la base navale.

Sans l'aide des Jolly Wrenches, Dusty ne serait pas parvenu au Mexique ! Vois combien de logos des Jolly Wrenches tu arrives à trouver à Puerto Vallarta.

Chug et Sparky s'occupent du fan club de Dusty. Tous les membres reçoivent un autocollant du club. Retourne à la ligne d'arrivée et essaie d'en trouver… 24 !